3 4028 08432 7924
HARRIS COUNTY PUBLIC LIBRARY

D1376856

# LIBRO DE LOS SONIDOS

DEBORAH UNDERWOOD

ILUSTRADO POR RENATA LIWSKA

Editado originalmente por Houghton Mifflin Harcourt Publishing Company.

**Para Judith e Ian, con amor y sonoras gracias –D.U.**

**Para Tony y Sylvia –R.L.**


C/Laurel 23, 1ºD. 28005, Madrid.
www.edicionesjaguar.com

El texto de este libro utiliza la fuente Berliner Grotesk.
Las ilustraciones han sido dibujadas con lápiz y coloreadas digitalmente.
ISBN 978-84-15116-26-4
Depósito legal: M-25198-2013

EXISTEN MONTONES DE SONIDOS:

EL DEL DESPERTADOR

# EL ÚLTIMO SORBO DE LA SOPA

# EL QUE HACE EL COCHE VIEJO DEL TÍO ALEJANDRO

CUANDO VAMOS A LA ESCUELA CANTANDO
MUY ALTO

UN ERUCTO CUANDO
TODOS ESTÁN CALLADOS

EL RUIDO DEL CAMIÓN DE BOMBEROS
CUANDO FUIMOS CON EL COLEGIO

# EL GRITO DE SORPRESA

EL RUIDO DE LA BANDEJA DE COMIDA
CUANDO SE TE CAE

EL GRITO CUANDO METEN UN GOL

CUANDO METES LA PATA, ¡UPS!

EL GRITO CUANDO ALGO APARECE
INESPERADAMENTE

# EL CLAMOR DE LOS APLAUSOS

EL RUIDO DE UNA PISCINA LLENA DE GENTE

EL SONIDO AL TIRARTE A LA PISCINA

EL ESTRUENDO DE UNA TORMENTA

CUANDO SE ARRUGA UN ENVOLTORIO

CUANDO SE TE CAEN LAS CANICAS
EN LA BIBLIOTECA

CUANDO HACES UN PLENO EN LOS BOLOS

EL RUIDO DE ALGO QUE SE ROMPE

# EL RUIDO DEL SILENCIO ENSORDECEDOR

# UNA AVALANCHA EN EL TRASTERO DE LOS JUGUETES

EL SONIDO DE LA MÚSICA DEL DESFILE

# EL SONIDO DEL LLANTO

LA BANDA DE BANJO DE LA TÍA TILLY

# LOS FUEGOS ARTIFICIALES

EL CREPITAR DEL FUEGO
EN EL CAMPAMENTO

EL RUIDO DE LA TIENDA DE CAMPAÑA
CUANDO SE DESARMA

LOS RONQUIDOS DE TU HERMANITA

# EL CRI CRI DE LOS GRILLOS